101 STELLINGEN OVER DE VORM
VAN HET BOEK

ALBERT KAPR

101

STELLINGEN

OVER DE

VORM

VAN HET

BOEK

DE BUITENKANT
AMSTERDAM
1992

Oorspronkelijke titel: *Hundertundein Sätze zur Buchgestaltung*
VEB Fachbuchverlag Leipzig, 1973; 2e verbeterde druk 1977
copyright 1977 VEB Fachbuchverlag, Leipzig
copyright 1991 Huib van Krimpen, Amsterdam

ISBN 90 70386 37 2

INHOUD

VOORWOORD

Sinds de dagen van Gutenberg wordt het maken van boeken geregeerd door regels, die in de afgelopen eeuwen veranderd, aangepast en verfijnd konden worden. In het jongste verleden veranderde het drukkersambacht in een grafische industrie, waardoor de invloed van de oude ambachtelijke regels verminderd is. Intussen hebben bepaalde takken van wetenschap belangstelling gekregen voor de vormgeving van het boek, in het bijzonder de informatica en het leesbaarheidsonderzoek. Hun bevindingen bevestigen in aanzienlijke mate de opvattingen van de klassieken van de boekkunst: Aldus Manutius, Claude Garamond, John Baskerville, de Didot's, Giambattista Bodoni en Carl Ernst Poeschel. In onze eeuw hebben Stanley Morison en Jan Tschichold zich op vruchtbare wijze bezonnen op de geldigheid en de vernieuwing van de grondbeginselen van de boektypografie.

Natuurlijk is de betekenis van regels en principes op artistiek gebied dubieus. Een voortschrijdende ontwikkeling laat soms bestaande regels vallen, en de ervaren boektypograaf houdt zich niet alleen aan principes. Aan de andere kant zijn de taken van de boektypografie te veelzijdig om ze in regels te kunnen vastleggen. In het bijzonder de produktie van het platenboek verovert nieuwe gebieden; sommige boeksoorten, zoals encyclopedieën, atlassen, woordenboeken en kinderboeken wijken tezeer af van het boek dat ononderbroken gelezen wordt om het in deze beknopte vorm te kunnen behandelen. Om dezelfde reden is ook op de problemen bij de produktie van brochures en paperbacks niet al te diep ingegaan.

Niettemin zijn de grondbeginselen van de boektypografie te rechtvaardigen als ze verstandig en bewijsbaar zijn. De stellingen in dit boekje gelden daarom alleen voor dat gedeelte van het boeken-maken, dat niet op artistiek terrein ligt. Ze beogen ervaringsfeiten bijeen te brengen en door te geven. De kennis en de eerbiediging van zulke grondregels voorkomt slordigheden en onnodig experimenteren met zaken die vanzelf spreken, die in de loop van eeuwen hun deugdelijkheid hebben bewezen. Ze mogen overigens voor nieuwe opgaven geen dwangbuis vormen, en een oprecht streven naar nieuwe deugdelijke vormen verdient ten volle aanmoediging, zelfs wanneer het zich niet stoort aan de bestaande regels.

Bij veel boeken is er in de praktijk helemaal geen tijd voor experimenten, en de samenwerking tussen uitgeverij en drukkerij wordt bevorderd als algemene kwaliteitsprincipes van de boektypografie erkend worden. Daarenboven kunnen zulke regels in zeker opzicht de grondslag vormen van een half-automatische boekproduktie, die we in de nabije toekomst zeker mogen verwachten, want het is wenselijk dat de computers ook volgens esthetische opvattingen geprogrammeerd worden.

Als men een boek wil maken zijn er twee uitgangspunten mogelijk. Men kan van binnen uit beginnen, met het tekstgedeelte, of men kan het van buitenaf, bij stofomslag en band, ter hand nemen. Daar het onze bedoeling is in de eerste plaats de functie van het boek bij het lezen en het gebruik recht te doen wedervaren, wordt in de stellingen hierna uitgegaan van het tekstgedeelte. Het boek is bovenal de uitdrukking en het resultaat van culturele prestaties, een medium om weten en ideeën te verbreiden. Het wordt echter pas werkzaam als het door een passend uiterlijk, dus een aantrekkelijk en interessant stofomslag en band, beter verkocht wordt. Het boek moet om te beginnen gekocht worden en in handen van de lezer komen, maar dan komen de belangrijker eigenschappen aan het licht: het moet goed en prettig leesbaar zijn en goed te hanteren.

Het begrip boektypografie heeft uiteraard geen betrekking op het letterkundige aspect of het werk van de schrijver, maar uitsluitend op het zetten, drukken en binden alsmede op de daaraan voorafgaande artistieke ontwerpen, dus al die bezigheden waardoor een bundel kopij een boek wordt. En ik wil nog een tweede misverstand bij voorbaat wegnemen: er zijn geen regels voor de kunst, maar wel regels voor het ambacht, die verzameld, geëerbiedigd en doorgegeven behoren te worden.

Bijzonder erkentelijk ben ik mijn vrienden Prof. Horst Erich Wolter † en Prof. Walter Schiller, die mij bij de kritische lezing van de stellingen hebben geholpen en waardevolle adviezen hebben gegeven.

Ter gelegenheid van de 'Internationale Buchkunstausstellung Leipzig 1977' wenste de uitgeverij een tweede druk, waarin ik een aantal suggesties van Max Caflisch in Zürich heb verwerkt en enige opmerkingen over de vormgeving van verschillende soorten boeken heb toegevoegd.

Leipzig, mei 1976   Albert Kapr

101 STELLINGEN OVER DE VORM
VAN HET BOEK

101 STELLINGEN

ALGEMEEN

1 De vormgeving van het boek heeft een drieledige taak: ze moet de tekst en de intenties van de auteur doeltreffend en zinvol overbrengen; ze moet aangepast zijn aan de lezer; en ze moet ten slotte leiden tot een mooi boek, zonder dat het streven naar een schone vorm op de voorgrond treedt.

2 Wie de verantwoordelijkheid voor de vorm van het boek op zich neemt – typograaf, produktieman, drukker, of welke andere boekenmaker ook – doet er goed aan eerst de tekst te lezen en zich een zo nauwkeurig mogelijke voorstelling van de bedoelingen van de schrijver te maken, van de te verwachten lezerskring en van de soort literatuur waartoe de tekst wordt gerekend.

FORMAAT

3 Uit de functie en behoorlijke hanteerbaarheid door de gebruiker wordt het formaat van het boek afgeleid. Een boek moet zo licht mogelijk en niet onnodig groot zijn. Bij de bepaling van het formaat van boeken, bestemd om ononderbroken te worden gelezen, zal men uitgaan van de optimale regellengte, die voor een 9- of 10-punts-letter 18 tot 22 augustijn (80-100

mm) bedraagt. Daaruit volgt een paginabreedte van 11 à 12 cm. Als we een mooie verhouding tussen breedte en hoogte zoeken, komt (een benadering van) de Gulden Snede met formaten van 11×18, 11×19 of 12×20 in aanmerking.

4 Om in wetenschappelijke en dergelijke boeken de vaak brede tabellen, formules en afbeeldingen onder te brengen kan een breder formaat noodzakelijk blijken. In zulke gevallen zou men de verhouding 2:3 moeten nastreven. Hieruit komen formaten voort van 14×21, 16×24 of 18×27 cm.

5 Bij platenboeken wordt het formaat bepaald aan de hand van de aard en de grootte van de afbeeldingen. Wanneer ongeveer de helft van de platen staand is en de andere helft liggend, dan is een min of meer vierkant formaat aanbevelenswaardig; dit heeft echter optisch pas het juiste effect als de hoogte iets meer bedraagt dan de breedte, bij voorbeeld 21×24 of 24×27 cm.

PAPIER

6 De looprichting van de papiervezels moet evenwijdig zijn aan de rug van het boek. Dwarslopend papier belemmert de functie van het boek: het is moeilijk door te bladeren, het gaat niet goed dicht en het verliest gauw zijn goede uiterlijk.

7 Voor langdurige lectuur is een ivoorachtige kleur van het papier prettiger dan sneeuwwit. Zelfs bij goedkope, licht houthoudende papieren moet een nauwelijks waarneembare ivoorkleurige of crème kleurstof in de brij gemengd worden. De wat warmere toon leest prettiger dan het kille wit.

8 Ook de oppervlaktestructuur van het papier is van belang voor het lezen. Het gunstigst zijn matte natuurpapieren, of lichtgesatineerde papieren met slechts gering verschil tussen vilt- en zeefkant.

9 Gestreken papieren, dus het zogenaamde kunstdruk, glimmen onder kunstlicht, hetgeen de lectuur belemmert. Ze zijn gemaakt om er afbeeldingen op te drukken en moeten bij voorkeur alleen worden gebruikt voor kunst- en platenboeken.

10 Het gebruik van bijbeldrukpapier kan een boek dat op gewoon papier zwaar en moeilijk hanteerbaar zou zijn licht en handzaam maken. Omgekeerd kan door toepassing van een opdikkend papier een anders al te dun deeltje een wat gewichtiger indruk maken.

11 De kwaliteit, de oppervlaktestructuur, het gewicht en de tint van het papier moeten in overeenstemming zijn met het karakter en de inhoud van het geschrevene. Voor boeken die maar een kort leven beschoren is, hoeft geen houtvrij papier gebruikt te worden. De kwaliteit van het gebruikte papier bepaalt mede de prijs van het boek; daarom moet bij de papierkeuze met het boekgenre rekening worden gehouden.

12 Ook de gebruikte letter staat in relatie tot het papier. Voor gesatineerde papieren komt een classicistische letter (Bodoni, Walbaum) het meest in aanmerking, voor matte en ruige papieren is een letter in de renaissance-traditie (Bembo, Garamond, Janson) beter geschikt.

13 Het belangrijkste element van de boektypografie is de letter. Het is haar taak de tekst leesbaar te maken. Als we lezen herkennen we door de vorm van de letters en de woorden hun klank en betekenis. Meestal wordt het beeldkarakter van de letter bij het lezen niet waargenomen; terwijl het oog langs de regel glijdt worden onmiddellijk geestelijke reacties opgeroepen. Maar niet alleen tijdens de onderbrekingen van het lezen en bij het bladeren worden de esthetische eigenschappen van de letter werkzaam: deze kunnen bovendien het lezen bevorderen of belemmeren.

14 De gunstigste lettergrootte voor langdurig lezen door volwassenen is 9 à 10 punt. Bij een 8-punts-letter worden de ogen gauw moe. Met een letter van 12 punt en groter kan het oog op de gebruikelijke leesafstand in één fixatie te weinig letters overzien. Het lezen van grote hoeveelheden tekst in een 6- of 7-punts-letter is schadelijk voor de ogen; daarom moet het zetten van omvangrijke teksten in kleine corpsen vermeden worden.

15 De letters waarmee kinderen leren lezen moeten 36 punt groot zijn en moeten na één jaar lees-onderwijs nog 16 punt meten. Voor de drie jaren daarna komen 14 en 12 punt in aanmerking. Ook slechtzienden en bejaarden hebben uit een oogpunt van lees-hygiëne recht op grotere corpsen.

16 Teksten gezet uit kapitalen of uit een halfvette letter worden langzamer gelezen dan teksten gezet uit een normale romein met kapitaal en onderkast. Kapitalen en halfvet mogen alleen voor korte teksten of voor onderscheidingen gebruikt worden.

17 De soort en het voorkomen van de letter moeten in overeenstemming zijn met de inhoud en de bedoelingen van de tekst. Elke letter wekt bepaalde associaties: haar aard kan zachtmoedig of streng, emotioneel of rationeel zijn. Voor een roman komt een renaissance-letter misschien het meest in aanmerking, voor een wetenschappelijk boek wellicht eerder een classicistische en voor een technisch een schreefloze letter. De vormgever kan zijn keuze bepalen op grond van de taal, op historische of geografische betrekkingen of met het oog op de te verwachten lezerskring. De juiste letterkeus is van groot belang voor de schoonheid van een boek.

REGELLENGTE

18 De optimale regellengte bedraagt voor een 9- of 10-punts-letter ongeveer 18 tot 22 augustijn (80-100 mm). Voor grotere corpsen moeten de regels langer, voor kleinere korter zijn.

19 Voor wetenschappelijke boeken, in het bijzonder die waarin brede formules en tabellen voorkomen, kunnen de regels langer zijn, tot 28 augustijn (126 mm).

20 Nog langere regels eisen bij het lezen het heen-en-weer-draaien van het hoofd en zijn dientengevolge onprettig. Betrekkelijk korte regels (minder dan 14 augustijn, ca. 63 mm) veroorzaken te talrijke en vaak lelijke woordafbrekingen, te grote en zeer ongelijke woordspaties – of men moet zijn toevlucht nemen tot onuitgevuld zetten (zie Stelling 24). Een ideale regel bevat gemiddeld 50 tot 60 aanslagen.

21 Als afbeeldingen of tabellen een brede zetspiegel eisen verdient een zetwijze in twee of meer kolommen de voorkeur.

UITVULLEN

22 De normale woordspatie bedraagt één derde van het vierkant, het corps. Bij smallopende letters kan ze kleiner, bij breedlopende iets groter zijn.

23 Bij het uitvullen van de regels moet men streven naar optisch even grote woordspaties, waarbij men rekening moet houden met het niet-drukkende wit (het 'vlees') dat sommige letters hebben.

ONUITGEVULD ZETSEL

24 De zuiver rechthoekige zetspiegel met regels van gelijke lengte is sinds Gutenberg de gebruikelijke zetwijze voor proza, die in overeenstemming is met het wezen van het boek. Bij gedichten beginnen de regels gewoonlijk recht onder elkaar en lopen naar rechts ongelijk uit. Deze voor gedichten correcte regelval kan soms ook voor proza worden toegepast, in het bijzonder om in ongewoon smalle kolommen lelijke afbrekingen te voorkomen. Dit noemt men onuitgevuld zetsel ('ragged-right setting', 'Flattersatz'). Voor gewone teksten, bestemd om rechttoe rechtaan gelezen te worden is deze zetwijze slechts zeer zelden een verbetering.

INTERLINIE

25 Compres gezette regels – dat zijn regels waartussen geen extra-wit is aangebracht – zijn moeilijker te lezen dan licht geïnterlinieerde. Bij een 10-punts-letter en normale zetbreedte is de gebruikelijke interlinie 2 punt, maar ze kan ook, afhankelijk van de gebruikte letter en de ter beschikking staande ruimte of het papier 1 of 3 punt bedragen. Bij de bepaling van

de interlinie moet ook rekening worden gehouden met de proporties van de marges.

ONDERSCHEIDINGEN

26 Het meest doeltreffende en mooiste middel om onderscheidingen aan te brengen in een doorlezende tekst is het gebruik van de cursieve variant van de tekstletter.

27 De tweede mogelijkheid is het gebruik van klein-kapitalen. Klein-kapitalen in de tekst kunnen beter niet gespatieerd worden. Woorden die met een hoofdletter beginnen worden ook in klein-kapitalen voorzien van een kapitale voorletter. In de tekst van wetenschappelijke boeken worden persoonsnamen veelal in klein-kapitalen gezet.

28 De derde onderscheidingsmogelijkheid is het gebruik van de halfvette variant van de tekstletter. Maar halfvet gezette tekstgedeelten dringen zich ten opzichte van de normale grijswaarde sterk op. Daarom moet de halfvette onderscheiding voorzichtig en in goede harmonie met het geheel worden toegepast.

29 De verdere onderscheidingsmogelijkheden – het zetten in kapitalen, zelfs cursieve of halfvette kapitalen, het onderstrepen en het gebruik van een nog vettere of geheel andere letter verstoren de grijstoon van de pagina, evenals het gebruik van grotere corpsen. Ze storen het lineaire lezen en mogen alleen in deugdelijk argumenteerbare omstandigheden, bij voorbeeld uit didactische overwegingen, worden toegepast.

30 Het onderscheiden door middel van spatiëren verstoort het ritme van het lezen en komt eigenlijk neer op een af-

leiden van de aandacht en een vermindering van de grijswaarde. Het spatiëren van onderkastletters mag alleen maar worden toegepast als er geen enkele andere mogelijkheid tot onderscheiding ter beschikking is.

TITELREGELS

31 In doorlezende teksten is het voldoende een titelregel door middel van witregels of een duidelijk zichtbare hoeveelheid extra-wit te accentueren. Afhankelijk van het belang dat een titelregel heeft kan men gebruik maken van de cursieve of halfvette variant van de tekstletter, van gelijkgestelde of iets gespatieerde kapitalen van de tekstletter of van een groter corps.

32 In wetenschappelijke en soortgelijke boeken met veel tussenkopjes van verschillend belang is het vaak beter de hiërarchie van de tussentitels aan te geven met behulp van decimale nummering dan daarvoor uitsluitend gebruik te maken van verschillende zetwijzen.

33 Tussentitels moeten, mét het wit er boven en er onder, de ruimte van een aantal normale regels innemen. De eerste tekstregel ná de tussentitel moet in register staan, d.w.z. even hoog staan als de corresponderende regel op de bladzijde er tegenover of aan de andere kant van het papier.

34 Tussentitels en titelregels voor hoofdstukken kunnen of symmetrisch of asymmetrisch gezet worden en in voorkomende gevallen zelfs uit een andere letter. Inhoud en functie van het boek in kwestie bepalen deze typografische beslissing.

KLEUR

35 Een kostbare methode tot onderscheiding is spaarzaam gebruik van een tweede kleur. Deze kleur moet in harmonie zijn met de inhoud van het boek en rekening houden met de tint van het papier. Bruinachtig rood, wijnrood, goudgeel en ultramarijn-blauw zijn gebleken de beste steunkleuren te zijn.

INSPRINGEN

36 Zoals de leestekens de structuur van een zin duidelijk maken, zo worden de hoofdstukken door alinea's geleed. Elke nieuwe alinea begint met een inspringing, gewoonlijk ter grootte van een vierkant. Als de laatste regel van een alinea helemaal volloopt, is de inspringing het enige teken dat er een nieuwe alinea begint. De eerste regel van een boek of van een hoofdstuk of een regel na een witregel hoeft niet in te springen, omdat het reeds duidelijk is dat dát de eerste regel is.

ZETSPIEGEL

37 De zetspiegel wordt bepaald door het gekozen boekformaat. De hoogte van de zetspiegel moet in harmonie zijn met de regellengte.

38 De onbedrukte marges behoeden de lezende ogen voor afdwalingen door een onrustige achtergrond. Ze maken het bladeren mogelijk en het aanbrengen van notities. Het rugwit kan kleiner zijn omdat in de rug het rugwit van de linker en de rechter pagina elkaar ontmoeten. Bij het opengeslagen boek vormen steeds de twee bladzijden tegenover elkaar het paginapaar, en daarom verdient het aanbeveling elk zijwit ongeveer

even groot te maken als de som van twee rugwitten. Bij de bepaling van het rugwit voor dikke boeken moet er voor worden gewaakt dat de zetspiegel niet gedeeltelijk in de ronding van de rug verdwijnt.

39 De breedte van de marges is afhankelijk van de functie van het boek, van de gekozen letter en van de interlinie. Bij een pocketboek moeten de marges niet krapper zijn dan 10 mm. Bij gebruik van een lichte letter en bij ruime interliniëring moeten de marges groter zijn dan bij letters met meer kleur of bij geringere interliniëring.

40 Op grond van historische ervaring kunnen de volgende margeprogressies worden aanbevolen bij gebruik van de pagina-oppervlakte voor

	70%	60%	40%
rugwit	3	3	2
kopwit	3	4	3
zijwit	3	5	4
staartwit	5	6	6

Ook andere margeprogressies zijn mogelijk, als ze maar helder en harmonisch zijn.

PAGINACIJFERS

41 De normale plaats voor het paginacijfer is aan de buitenkant of in het midden onder de zetspiegel, door een witregel gescheiden van de laatste tekstregel. De paginanummers kunnen zonder meer uit de cijfers van de tekstletter worden gezet. Het voorwerk tot aan de inhoudsopgave wordt wel meegeteld, maar meestal niet gepagineerd.

42 Als het paginacijfer anders wordt geplaatst of wanneer cijfers van een groter corps worden gebruikt, moet er voor gezorgd worden dat de cijfers gemakkelijk worden gevonden, maar de lezer niet afleiden.

43 De sprekende hoofdregel die, in het bijzonder bij wetenschappelijke boeken het terugvinden van een bepaald tekstgedeelte moet vergemakkelijken, staat meestal boven de zetspiegel. Hij wordt gewoonlijk gezet uit klein-kapitalen of de cursief van de tekstletter. Het paginacijfer, meestal in hetzelfde corps als de tekstletter, staat gewoonlijk aan de buitenkant in de sprekende hoofdregel. De sprekende hoofdregel kan desgewenst een corps kleiner zijn en met wat wit of door een lijn van de tekst wordt gescheiden.

44 Als het boek zeer ruime marges heeft kan de sprekende regel ook in het zijwit of staartwit geplaatst worden.

OPMAAK

45 In normale omstandigheden zijn alle pagina's even hoog of bevatten hetzelfde aantal tekstregels. Men moet echter tot elke prijs vermijden dat een uitgangsregel boven aan een bladzijde komt te staan. Als het onmogelijk blijkt zulke regels door inwinnen of uitdrijven weg te werken, kan men desnoods de bladzijde een regel langer of korter maken. Deze methode is vooral bij fotozetwerk aan te bevelen.

AFBREKINGEN

46 Het is niet mooi als er meer dan drie afbrekingen onder elkaar staan.

47 Een woordafbreking aan het einde van een linkerpagina kan desnoods getolereerd worden. Aan het einde van een rechterpagina moet men ze vermijden.

VOETNOTEN

48 Voetnoten worden één of twee corpsen kleiner gezet dan de hoofdtekst, en zo geïnterlinieerd dat het optische effect gelijk is. Ze staan binnen de zetspiegel in plaats van een aantal tekstregels, die bij de opmaak naar de volgende pagina worden verplaatst. Voetnoten worden door middel van een regel wit of een stompfijne lijn op zetbreedte van de hoofdtekst gescheiden.

49 Voetnoten worden door middel van een superieur cijfer vlak achter het woord in de tekst aangegeven. In de noot zelf staat dit nummer in een gewoon cijfer, gevolgd door een punt. Superieure cijfers in de noten zelf zijn te klein. Een haakje achter het nootcijfer in de tekst is overbodig.

MARGINALIA OF RANDNOTEN

50 Marginalia worden één of twee corpsen kleiner dan de hoofdtekst gezet uit de tekstletter of de cursief daarvan, en zo geïnterlinieerd dat het optische effect gelijk is. De eerste regel van een randnoot moet lijnen met de tekstregel waarop ze betrekking heeft. Marginalia worden meestal met één augustijn wit van de tekst gescheiden terwijl de regels aan de tekstkant recht onder elkaar staan. De afstand tussen randnoot en tekst wordt mede bepaald door corps en interlinie van de hoofdtekst.

TABELLEN

51 Tabellen dienen zo eenvoudig en overzichtelijk mogelijk gezet te worden. Niet zelden zijn stompfijne horizontale lijnen voldoende markering; verticale kolomlijnen zijn in veel gevallen overbodig. Als cijfers gebruike men bij voorkeur uithangende cijfers op een pasje; voor de teksten kan in de meeste gevallen de tekstletter dienen.

ILLUSTRATIES

52 Afbeeldingen en illustraties moeten in de eerste plaats de bedoeling van de tekst of de inhoud ondersteunen en dus zowel optisch als artistiek harmoniëren met de typografie van het boek.

53 Alle afbeeldingen dienen in harmonie te zijn met de dubbele pagina van het boek. Platen moeten bij voorkeur hetzelfde formaat hebben als de zetspiegel, of – bewust contrasterend – rondom gelijk wit hebben of in het leven worden gesneden (zgn. aflopende platen).

54 Illustraties, platen, tekstfiguurtjes, vignetten en dergelijke moeten in grijswaarde harmoniëren met de tekst of daarmee een interessant contrast vormen.

55 Ook tussen ductus en karakter van de letter en de illustraties moet overeenstemming bestaan. De illustrator moet nauw samenwerken met de typograaf en gekend worden in het vaststellen van de proefpagina's.

56 Het belangrijkste gedeelte van het boek, de hoofdtekst, waarvan in principe bij de vormgeving uitgegaan moet worden, staat tussen het voor- en het nawerk. De vormgeving van voor- en nawerk moet in dezelfde geest worden opgevat als die van de hoofdtekst.

VOORWERK

57 Het voorwerk bestaat uit de franse ('voor-de-handse') titel op pagina 1, de hoofdtitel op pagina 3, de inhoudsopgave op pagina 5 en het voorwoord op pagina 7. De volgorde kan anders zijn, indien op pagina 5 een opdracht of motto wordt geplaatst, de inhoud meer dan twee pagina's telt, of het voorwoord vóór de inhoudsopgave wordt geplaatst.

FRANSE TITEL

58 De franse titel vormt een sobere voor-aankondiging van de hoofdtitel. Het is voldoende als hij, in de tekstletter of de kapitalen daarvan, de titel van het boek, eventueel voorafgegaan door de naam van de schrijver, in één regel bovenaan vermeldt.

TITELPAGINA

59 De titelpagina heeft de representatieve functie van toegangspoort tot de tekst. Tegelijkertijd moet hij duidelijke bibliografische gegevens verstrekken. De titelpagina moet vermelden: de naam van de schrijver, al dan niet aangevuld met zijn academische titels, de titel en eventueel ondertitel van het werk, de uitgever en diens vestigingsplaats en liefst ook het jaar van verschijnen.

60 De titelpagina stelt de typograaf, meer dan enig ander gedeelte van het boek, in de gelegenheid van zijn fantasie en zijn ontwerpers-inventiviteit blijk te geven. De relatie met de hoofdtekst wordt verzekerd door de naam van de uitgever en de eventuele ondertitel te zetten in hetzelfde corps als de tekst van het boek. De naam van de schrijver kan één of twee corpsen groter zijn; de titel van het werk wordt gewoonlijk het grootst gezet. Deze onderlinge verhoudingen kunnen echter anders zijn als er bij voorbeeld sprake is van de verzamelde werken van een klassieke schrijver: in dat geval kan de naam van de auteur de dominerende rol spelen.

61 Bij verzamelde werken in verscheidene delen kan een dubbele titelpagina wenselijk zijn. Op pagina 2 staan dan gewoonlijk de gegevens die voor alle delen van de uitgave gelijk zijn, en op pagina 3 wordt de titel van het afzonderlijke deel gezet. Soms plaatst men de hoofdtitel op pagina 1 of 3 en de deeltitel op pagina 3 of 5.

62 Bij de vormgeving van een titelpagina bestaat altijd de mogelijkheid tot een symmetrische of een asymmetrische rangschikking. Beide opvattingen zijn gelijkwaardig. Voor romans bestaat gewoonlijk een voorkeur voor de symmetrie, bij wetenschappelijke boeken vaak voor asymmetrie. Bepalend voor de keuze van de typografische middelen is de inhoud van het werk. De eenheid met het tekstgedeelte moet bewaard blijven.

63 Op de titelpagina kan bij wijze van versiering een tweede kleur, een vignet of een regel in een andere letter toegepast worden. De titelpagina eist grote zorgvuldigheid, want ze vormt een aanwijzing voor de kwaliteit van het hele boek.

FRONTISPIES

64 Vooral in oudere boeken vindt men vaak op pagina 2 een frontispies, een titelplaat, of een grafische weergave van de inhoud van het boek in de vorm van een litho of gravure. Deze mooie traditie wordt tegenwoordig wel voortgezet met een portret van de auteur of een passende illustratie. De eenheid van het totale boek wordt het best gewaarborgd als de plaat op pagina 2 binnen de grenzen van de zetspiegel blijft.

65 In sommige gevallen wordt pagina 2 in de vormgeving van de titelpagina betrokken. Daar het oog in elk geval een dubbele pagina waarneemt, is het volstrekt gerechtvaardigd de anders leeg blijvende pagina 2 door het laten overlezen van één of meer regels of door middel van een illustratief element in het ontwerp van de hoofdtitel te integreren.

AUTEURSRECHTVERMELDING

66 Hoewel het helaas gewoonte geworden is de auteursrechtvermelding en de naam van de drukkerij op pagina 4 te plaatsen moet men niettemin beseffen dat wettelijk verplichte, commerciële en technische mededelingen ná de titelpagina en vóór het begin van de tekst niet bevorderlijk zijn om de lezer innerlijk op de tekst voor te bereiden, in het bijzonder bij de schone letteren. Het is daarom beter de copyrightvermelding zo sober mogelijk in één regeltje onderaan de pagina te zetten.

67 Alleen in nood, bij voorbeeld in een pocketboek of schoolboek, als zuinigheid met de ruimte geboden is, kan de drukkerij in kleine lettertjes op pagina 4 worden vermeld. Het is echter beter dit aan het slot van het boek te doen.

INHOUDSOPGAVE

68 De inhoudsopgave, die voor een roman maar zelden nodig is, verwacht de lezer voorin het boek, dus in het voorwerk. In die gevallen, waarin een voorwoord de opbouw van het boek verklaart en de inhoudsopgave toelicht, kan deze laatste ná het voorwoord of de inleiding worden geplaatst.

69 De inhoudsopgave moet zo overzichtelijk mogelijk ingericht en geordend zijn. Het best wordt ze uit de tekstletter, eventueel één corps kleiner, gezet.

70 Bij het zetten van de inhoudsopgave zijn betere oplossingen te bedenken dan het gebruikelijke weinig fraaie uitpunten. Soms kunnen de pagina's vóór de hoofdstuktitels gezet worden. Het is ook niet beslist noodzakelijk de inhoud even breed te zetten als de tekstpagina's als men een betere oplossing kan vinden.

71 De titelregels van de inhoudsopgave, de inleiding en het voorwoord worden behandeld als de hoofdstuktitels in het binnenwerk.

BEGIN VAN DE TEKST

72 De tekst begint, zoals alle belangrijke onderdelen van het boek, op een rechterpagina.

73 In wetenschappelijke boeken heeft het nawerk belangrijke functies bij het gebruik van het boek. Gewoonlijk staan de onderdelen er van in de volgorde:
1. Uitweidingen en verklarende teksten; 2. Aantekeningen of bronvermeldingen; 3. Literatuuropgave; 4. Register(s).

74 Alle onderdelen van het nawerk worden meestal in één corps, een of twee corpsen kleiner dan de hoofdtekst, gezet. De titelregels boven de aantekeningen, de registers en de literatuuropgave worden behandeld als de hoofdstuktitels.

AANTEKENINGEN

75 Aantekeningen zet men op dezelfde manier als voetnoten. In de hoofdtekst van het boek worden de woorden waarop aantekeningen betrekking hebben, van nummers in superieure cijfertjes voorzien in doorlopende nummering. Als de tekst ingewikkeld is en er zowel aantekeningen als voetnoten voorkomen, worden in de hoofdtekst aantekeningen gesignaleerd door middel van cijfers tussen vierkante teksthaken achter de woorden in kwestie, eveneens doorlopend genummerd. In het aantekeningengedeelte worden deze nummers herhaald in de letter, waaruit de aantekeningen zijn gezet.

LITERATUURLIJST

76 De literatuurlijst in een wetenschappelijk boek is voor de gebruiker van groot belang. Daarom eist de zetwijze daarvan veel aandacht. De namen van auteurs (met hun voornamen) worden uit klein-kapitalen gezet. De boektitels staan cursief en overige gegevens over uitgever, plaats van uitgave en jaar van verschijnen in romein. De tweede en volgende regels van één vermelding worden een half vierkant ingesprongen.

REGISTER

77 Het namen- en zakenregister, ook wel index genoemd, bestaat slechts uit betrekkelijk korte regeltjes. Daarom is een zetwijze in twee of meer kolommen aangewezen.

78 Om verwijzingen naar tekstplaatsen en naar afbeeldingen van elkaar te onderscheiden kan men met cursieve cijfers naar de afbeeldingen verwijzen.

79 Als achter een vermelding in het register zoveel plaatsen worden genoemd dat ze meer dan één regel in beslag nemen, dan laat men de tweede en volgende regels een half vierkant inspringen.

80 De smalle regeltjes van een register worden onuitgevuld gezet.

COLOFON

81 Een colofon behoort te vermelden, behalve de naam van de auteur en de titel van het werk: de naam van de uitgever, het jaar van verschijnen, de naam van de redacteur, van de illustrator, van de typograaf, eventueel die van de ontwerper van band en/of stofomslag, alsmede de namen van alle bedrijven die met de produktie te maken hebben gehad. Bovendien mogen ook de gebruikte letter en de fabrikant van het papier wel vermeld worden.

82 De beste plaats voor het colofon is boven- of onderaan de laatste bladzijde, of – als er achterin het boek blancopagina's zijn – op de voorlaatste bladzijde. Onder het colofon, op een afzonderlijke regel, kan het ISBN worden vermeld.

DRUK

83 Bij de druk moet in het bijzonder gelet worden op gelijke kleur van schoon- en weerdruk en van alle vellen, alsmede op perfect register.

SCHUTBLADEN

84 Het boekblok van een gebonden boek begint en eindigt met schutbladen. Daarvoor gebruike men een stevig papier, dat in kleur harmonieert met het papier van het binnenwerk, met het materiaal van de band en met het kapitaalbandje, alsmede de juiste looprichting heeft.

85 De schutbladen voor en achter kunnen als dubbele pagina's worden bedrukt met versiering of mededelingen.

BINDEN

86 Voor het brocheren en binden van boeken zijn verschillende technieken in gebruik, die uiteenlopende prijzen hebben. Goedkope boeken met een beperkte levensduur zijn even nodig als dure en duurzame boeken. Het is echter noodzakelijk, in het belang van lezer en gebruiker, dat alle delen van het boek, en ook alle produktieprocessen, consequent in dienst van één doel staan.

87 Harde borden, bekleed met een bindmateriaal (papier, textiel, kunststof, leer) beschermen het boek het best. De keus van de bekledingsmaterialen, hun structuur en hun kleur bepalen in sterke mate het uiterlijk van het boek. Het spreekt vanzelf dat ook hier de inhoud van het werk en zijn bedoeling het uitgangspunt moeten vormen.

88 De borden moeten aan alle kanten evenveel, en niet meer dan 2 mm, buiten het boekblok uitsteken. Bijzonder prettig zijn dunne en flexibele borden. Evenals bij het papier van het binnenwerk moet er op gelet worden dat ook het karton de juiste looprichting, dus evenwijdig aan de rug, heeft.

89 Door het brocheren of binden veranderen de vlakke vellen in een driedimensionaal voorwerp. In dit verband is het van belang of de rug recht of rond is. Een rechte rug maakt een sobere en zakelijke indruk, maar bij wat dikkere boeken (globaal boven 25 mm) ontstaat het gevaar dat als het boek enige tijd in gebruik is geweest het boekblok van voren uitzakt. Een lichte en vooral gelijkmatige ronding is daarom meestal het best.

90 De kwaliteit van het gebonden boek wordt mede bepaald door een correct ingebrande kneep, zuiver aangeplakte kapitaalbandjes, een keurig geverfde kop en eventueel een leeslintje.

91 Bovendien mag van de binderij geëist worden dat het gaas, dat onder het vastgeplakte schutblad zichtbaar is, recht en smal wordt afgesneden.

92 Als het boek van een stofomslag wordt voorzien, kan de band betrekkelijk eenvoudig zijn. De meeste aandacht verdient de rug van het boek, omdat deze in de boekenkast zichtbaar is en omdat op basis van wat daar op staat het boek in de kast wordt gezocht. Op de rug hoeft niet méér te staan dan de (achter)naam van de schrijver en de (eventueel verkorte) titel.

DE RUG

93 In principe zou elk boek waarvan de rug breder is dan 5 mm van een rugtitel voorzien moeten zijn.

94 In Nederland lezen titels in de lengterichting van de rug steeds van boven naar beneden, zodat de rugtitel leesbaar is als het boek met het voorplat boven op een tafel ligt.

95 Bij dikkere boeken moet de rugtitel bij voorkeur dwars worden aangebracht, desgewenst op een schildje.

VOORPLAT

96 Strikt genomen hoeft er op de beide platten niets te staan, maar het verdient aanbeveling door middel van een eenvoudig vignet of een sobere stempeling aan te geven welk plat het voorplat is.

STOFOMSLAG

97 Het stofomslag heet de band te beschermen, maar heeft veeleer een reclame-functie: een miniatuur-affiche. Het moet modern, aantrekkelijk en effectief zijn, maar het reclame-aspect moet in overeenstemming zijn met geest en bedoeling van het boek.

98 De kleppen van het stofomslag kunnen worden gebruikt voor verklarende of voor reclame-teksten. Op de voorklep staat meestal een beschrijving van het boek en zijn bedoelingen. De achterklep vermeldt veelal andere boeken van dezelfde uitgeverij. Daar de kleppen maar smal zijn kan hier het best onuitgevuld worden gezet.

99 Om inscheuren te voorkomen moet het omslag 1 mm lager zijn dan de band.

100 Bij pocketboek en paperback, kortom bij het gebrocheerde boek, vervult de 'band' de functie van het stofomslag. Evenals bij het stofomslag geeft het achterplat gelegenheid reclame te maken voor andere titels. Ook bij dit soort boeken moet de rug duidelijk auteursnaam en titel vermelden.

HET BOEK ALS ALS GEHEEL

101 Tot slot moet er nog eens op worden gewezen, dat alle onderdelen van het boek ontworpen moeten zijn in een consequente esthetische conceptie. Alle elementen: de letter, de illustratie, de typografie, de kleuren, de band en het omslag, moeten met elkaar harmoniëren.

VERSCHILLEN IN VORMGEVING
OP GROND VAN DE INHOUD

VERSCHILLEN IN VORMGEVING

Sinds enige decennia is een differentiëringsproces te constateren in de vormgeving van het boek op grond van de inhoud. Globaal gesproken gedurende de eerste helft van deze eeuw streefden de boektypografen naar het 'schone boek' en zelfs naar het 'ideale boek'. Tegenwoordig zijn er zoveel verschillende soorten boeken, dat men kan spreken van een mooie uitgave van verzameld werk, een goed gedrukt en ontworpen kunstboek, een verstandig opgezet studieboek enz. De beweegredenen voor deze verregaande differentiëring in de vormgeving van het boek zijn van praktische aard: de ontwerper wil het boek een vorm geven die in overeenstemming is met het specifieke gebruiksdoel. Terwijl de voorgaande 101 stellingen trachten de algemeen geldige beginselen vast te leggen, valt in de hier volgende opmerkingen de nadruk op de bijzondere eigenschappen van de verschillende boeksoorten. Het is onvermijdelijk dat zich daarbij herhalingen voordoen. En het spreekt vanzelf dat goede boeken ook kunnen ontstaan als een kunstzinnige vormgeving de hier gegeven aanbevelingen negeert. Zoals we al eerder hebben opgemerkt: artistieke arbeid laat zich niet in regels vangen; ook bij deze slotopmerkingen is uitsluitend sprake van op ervaring gebaseerde feiten.

Het wetenschappelijke boek

De vormgeving moet de wetenschappelijke oogmerken dienen en de kennis van natuur en samenleving aan de vermoedelijke lezer doorgeven en voor de praktijk bruikbaar maken. Voor een individuele artistieke uitdrukkingswijze is in het tekstgedeelte van het wetenschappelijke boek betrekkelijk weinig ruimte, en originaliteiten zijn alleen op hun plaats wanneer daardoor de bruikbaarheid van het boek vergroot wordt.

Wetenschappelijke boeken verdienen houtvrij papier van goede kwaliteit, waarvan de dikte, de oppervlaktestructuur en de kleur in overeenstemming zijn met de inhoud van het boek. De letter voor het wetenschappelijke boek zou zakelijk, goed leesbaar en betrekkelijk neutraal moeten zijn. Ze kan bij het technisch-wetenschappelijke boek, respectievelijk het maatschappij-wetenschappelijke, het eigen karakter van de tekst benadrukken. De typografie beantwoordt aan haar functie als ze de innerlijke orde en de opbouw van het werk zichtbaar maakt. Titelregels in hun respectieve gewicht, sprekende hoofdregels, inhoudsoverzicht, register, literatuuropgave en alle verdere details moeten met verstand van zaken geordend zijn, en wel zo dat een bepaald tekstgedeelte zonder moeite te vinden is. In een goedgemaakt wetenschappelijk boek zouden voor namen, in het bijzonder voor auteursnamen in de bibliografie, klein-kapitalen gebruikt moeten worden. Nieuwe vormen in de opbouw van het wetenschappelijke boek, die voor het terugvinden van een bepaald tekstgedeelte bevorderlijk zijn, bij voorbeeld korte samenvattingen van afzonderlijke hoofdstukken, een consequente decimale indeling en dergelijke, verdienen warme aanbeveling. Tekeningen en schema's moeten in het hele boek dezelfde lijndikte hebben en op dezelfde wijze beschrift zijn. De titelpagina behoort bibliografisch correct alle voor een wetenschappelijk boek relevante gegevens te vermelden en typografisch in harmonie zijn met de tekst. Bij delen van een reeks moeten lezer en bibliothecaris zonder moeite kunnen zien, wat de serietitel is. Ook voor wetenschappelijke boeken kan een stofomslag dat de aandacht trekt passend zijn, maar het moet wel in overeenstemming zijn met het karakter van het werk en zijn inhoud.

Studieboeken

Studie- en leerboeken dienen tot verbreiding van wetenschappelijke of praktische ervaringen. Hun vorm zal verschillend moeten zijn met inachtneming van de vooropleiding en ontwikkeling van de vermoedelijke lezers en in overeenstemming met hun bedoeling. Studieboeken voor het hoger beroepsonderwijs naderen, ook wat de vormgeving betreft, de wetenschappelijke literatuur, maar leerboeken voor het middelbaar en lager beroepsonderwijs zijn veeleer verwant aan het populair-wetenschappelijke boek. Ze worden zelden van begin tot einde gelezen, maar fungeren als opzoekboeken en zouden daarom zó ingericht moeten worden dat de lezer een bepaald onderwerp gemakkelijk kan vinden. Afhankelijk van de te verwachten levensduur van de leerstof in kwestie kunnen houtvrije, bijna-houtvrije of zelfs houthoudende papieren worden gebruikt. Voor halftoon-illustraties zal machine-coated papier in aanmerking komen; maar wanneer de reprodukties briljant moeten zijn, zullen betere kwaliteiten noodzakelijk zijn.

De tekstletter moet zakelijk en goed leesbaar zijn. Vaak wordt de letterkeuze bepaald door de beschikbaarheid van wetenschappelijke symbolen of van aanvullende lettervarianten. De typografie van het studieboek moet in de allereerste plaats streven naar orde en overzichtelijkheid, waarbij didactische overwegingen een rol kunnen spelen. Alle elementen die ordelijkheid bevorderen, zoals het inhoudsoverzicht, opschriften met een duidelijke rangorde, decimale nummering, sprekende hoofdregels en het volledige bibliografische apparaat, moeten met de grootst mogelijke zorgvuldigheid behandeld worden. Als grote afbeeldingen, tabellen of formules een groter formaat eisen, is gewoonlijk een zetwijze in twee of meer kolommen aanbevelenswaardig. Dan kan soms gebruik worden gemaakt van ervaringen, opgedaan bij de tijdschrift-typografie. Als de kolommen smal zijn, moet zeker de een of andere wijze van on-uitgevuld zetten worden overwogen.

De didactische voorstelling van de feiten door middel van technische tekeningen en foto's is in veel leer- en studieboeken onontbeerlijk. In de meeste gevallen is het niet voldoende als de auteur van de tekst de foto's en tekeningen zelf maakt of laat maken. De uitgeverij behoort voor foto's en tekeningen echte vaklieden in de arm te nemen. Om zeker te zijn van een constante lijndikte en een uniforme beschrijving, moet de grootte die de tekeningen in de druk zullen krijgen reeds bij de opdracht bekend zijn. Hoogst belangrijk is de zetwijze van formules en tabellen. Als zeer brede tabellen dwars geplaatst moeten worden, zodat men het boek moet draaien, kan dit in veel gevallen worden vermeden door de teksten in de linkermarge te plaatsen. De band van studieboeken die ook wel in de werkplaats worden gebruikt moet uiteraard tegen een stootje kunnen en liefst ook afwasbaar zijn. Ook bij het leer- en studieboek moet het stofomslag niet verwaarloosd worden, want een publiek van in het lager en middelbaar onderwijs opgeleiden, waarvoor de omgang met boeken niet vanzelf spreekt, kan door een aardig omslag misschien tot kopen en lezen bewogen worden.

Het populair-wetenschappelijke boek

De specifieke taak van het populair-wetenschappelijke boek, nieuwe wetenschappelijke feiten en ontdekkingen onder de aandacht van een zo breed mogelijke lezerskring te brengen en deze daarbij genoegen te verschaffen, eist een originele en levendige vormgeving om de belangstelling van de potentiële lezer te prikkelen. Het karakter van dit soort boeken eist niet zelden een prikkelende combinatie van tekst en illustraties en biedt vaak gelegenheid tot toepassing van een van de klassieke principes afwijkende zetspiegel, om aldus meer varianten voor de plaatsing van afbeeldingen te krijgen. De relatief hoge oplagen, het verlangen naar afbeeldingen in kleur en de gewenste lage verkoopsprijzen leidden al vroeg tot toepassing van offsetdruk en de daarvoor geschikte gesatineerde papieren. Gestreken papieren zullen slechts bij uitzondering in aanmerking komen, maar kleur voor tussentitels en voor bepaalde onderdelen van het boek kan er een bijzonder levendig en aantrekkelijk uiterlijk aan geven.

Voor de tekst kan een schreefloze letter overwogen worden of een nuchtere boekletter. Mengingen kunnen wenselijk zijn. Het getekende schema en de foto hebben soms meer effect en daarom moet aan beide veel aandacht worden besteed. Een intelligente en bekwame opmaak kan een goede compositie van de dubbele bladzijde en de wederkerige invloed van tekst en afbeelding ondersteunen. Het plaatjes-kijken kan in het bijzonder bij het populair-wetenschappelijke boek een genoegen zijn; daarom moet gestreefd worden naar een perfecte druk zonder kleurafwijkingen.

Het populair-wetenschappelijke boek biedt ruime mogelijkheden voor een moderne vorm van titel en band. De lezer zal het op prijs stellen als de schutbladen voor en achter gebruikt worden voor informatie of illustratie. Een boeiend omslag zal zeker de nieuwsgierigheid en het verlangen tot lezen wekken.

Kinder- en jeugdboeken

Kinder- en jeugdboeken zijn voor de maatschappelijke en esthetische vorming van de jonge persoonlijkheid van groot belang. Niet alleen de overdracht van kennis, maar vooral het aankweken van het gevoel en de ontwikkeling van de fantasie zijn van het allergrootste belang. De grootste vijand van het kinderboek is de verveling; de vormgeving moet daarom levendig en origineel zijn en in overeenstemming met de smaak van de beoogde leeftijdsgroep. Voor kinderboeken komen gewoonlijk stevige licht-getinte papieren het meest in aanmerking. Evenals bij het schoolboek moeten de bevindingen van het leesbaarheidsonderzoek betrokken worden in de bepaling van het juiste lettercorps. De letter moet goed leesbaar zijn en groot geoeg voor de leeftijdsgroep in kwestie. De vorm van kinder- en jeugdboeken wordt in aanzienlijke mate door de illustraties bepaald; in boeken bestemd voor kleuters en kinderen die beginnen te lezen zijn de plaatjes belangrijker dan de tekst. Vaak vormt het kinderboek het eerste contact met de schilderkunst en de beeldende kunsten in het algemeen en is het een middel ter bevordering van de creativiteit. Goede weergave van illustraties in kleur is dus van groot belang. In veel gevallen leidt een innige samenwerking tussen illustrator en drukkerij of reproduktiebedrijf tot betere resultaten in de reproduktie. Sommige psychologen zijn van mening dat voor boeken, die vóór de puberteit gelezen en bekeken worden, vooral kleurige en decoratieve illustraties, die de fantasie prikkelen, het meest in aanmerking komen, terwijl voor boeken die tijdens en na de puberteit gelezen worden realistische tekeningen de voorkeur verdienen. Voor blanco-bladzijden (die in het Duits *Respektseiten* worden genoemd) hebben kinderen waarschijnlijk geen respect; daarom zouden de schutbladen voor en achter, de franse titel, pagina 4 en de allerlaatste pagina in de illustratieve vormgeving betrokken moeten worden. En het spreekt vanzelf dat band en omslag illustratief of decoratief moeten zijn.

School- en leerboeken

De vormgeving van het schoolboek moet de pedagogische oogmerken ondersteunen, het leren vergemakkelijken en het belangrijkste visueel pakkend naar voren halen. Afhankelijk van de leeftijd van de leerlingen zal de vormgeving óf verwant zijn aan die van het kinderboek óf aan die van het studieboek of populair-wetenschappelijke boek. Schoolboeken die een aantal jaren achter elkaar in gebruik blijven, moeten liefst op stevig houtvrij papier worden gedrukt.

Het is van belang dat de gekozen letter goed leesbaar is en dat geen al te kleine corpsen worden gebruikt. In dit verband zij verwezen naar stelling 15. Ook voor oudere leerlingen moet de tekstletter zeker 10 punts zijn en voor noten en opmerkingen niet kleiner zijn dan 8 punts. De typografie moet didactisch van opzet zijn, overzichtelijk en interessant. De zetbreedt moet in harmonie zijn met het corps van de letter en gericht zijn op gemakkelijke leesbaarheid. Mnemo-technische accenten ('geheugensteuntjes' door middel van symbolen en tekens), nadruk door middel van onderstrepingen, lijnenkaders of kleurelementen kunnen de pedagogische bedoelingen ondersteunen. De illustraties in het schoolboek moeten niet alleen informatie verstrekken, maar moeten bovendien door een goed artistiek niveau de smaak van de scholier helpen vormen. Het verdient aanbeveling in het schoolboek de schutbladen voor en achter voor tekeningen of tabellen te gebruiken. Een stofomslag is voor een schoolboek zelden of nooit nodig. Maar de band moet bij boeken voor jeugdige leerlingen zo mogelijk afwasbaar zijn. Het is wenselijk dat de kinderen zonder problemen hun naam op de band kunnen schrijven op een daartoe bestemde plaats (opgeplakt etiket of iets dergelijks), opdat de boeken niet ook nog gekaft hoeven te worden.

Speciale vermelding verdient het geprogrammeerde leerboek. Dit bevindt zich weliswaar nog in ontwikkeling, maar

45

zal steeds belangrijker worden. Hier gaat het er om de leerling op het juiste moment de oplossingen of antwoorden ter controle aan te bieden, zonder dat hij, doordat het antwoord te vroeg bekend is, van het zelfstandig denken wordt afgehouden. Of antwoorden bovenaan de volgende bladzijde moeten staan, of elders in het boek, of door middel van een uitklappend blad bedekt moeten worden, moet per geval beoordeeld en beslist worden. Er is hier ruimte voor experimenten, die natuurlijk wel de bedoelingen van het boek moeten dienen.

Schone letteren

Literaire boeken moeten uitnodigen tot lezen en prettig in de hand liggen, maar hun vorm moet vóór alles in overeenstemming zijn met de geest van de tekst, en de lezer in de sfeer van de literatuur brengen. Kleine formaten en slanke proporties zijn meestal mooier dan grote, brede en dikke pillen, maar uitzonderingen hierop kunnen in sommige gevallen verantwoord zijn. Afhankelijk van de aard van de literatuur en de omvang van de tekst kunnen heel lichte, sterk opdikkende papieren, ondoorschijnende bijbeldruksoorten, natuurpapieren met een heel flauwe oppervlaktepersing of lichtgesatineerde papieren de voorkeur verdienen. Lange teksten lezen op lichtgetint papier aangenamer dan op stralend wit.

Voor de schone letteren zou men uit het volledige scala van het letteraanbod moeten kunnen kiezen. De letter moet bij de inhoud passen en goed leesbaar zijn. De klassieke margeprogressie veraangenaamt het lezen, en men moet daarvan alleen afwijken als er zeer goede redenen voor zijn – maar dan ook onverschrokken. Het niet inspringen van de alinea's is zelden een verbetering – op zijn hoogst als veel dialoog in korte zinnetjes onder elkaar voorkomt. De juiste plaats voor de paginacijfers is het staartwit. In het zijwit kunnen ze het lezen storen en in de rug zijn ze moeilijk te vinden.

Illustraties hoeven niet beslist een passage of de hele tekst met veel nadruk te interpreteren. Een zekere spanning tussen afbeelding en tekst zal de artistieke waarde van het boek verhogen. De illustratie kan een betrekkelijk zelfstandig grafisch commentaar zijn op de inhoud, op basis van een zekere geestelijke overeenstemming. Formele harmonie of juist een bewust contrast tussen de grafische waarde van de tekening enerzijds en letter zowel als zetspiegel anderzijds moet worden nagestreefd. De ductus van de letter moet met de ductus van de tekeningen corresponderen.

Flexibele banden zijn voor de schone letteren zeker prettiger dan banden met dikke, zware borden. Ook het gewicht van het boek kan bij deze soort literatuur een esthetische factor zijn. Gedichtenbundels komen in aanmerking voor een sierlijke wijze van brocheren of voor papieren bandjes in een van hun talrijke vormen. Omslagen zijn van groot belang: ze moeten de potentiële koper en lezer boeien, maar ze mogen de geestelijke relatie tot de literatuur niet verliezen en ze mogen zeker niet modieus zijn.

Kunst- en kijkboeken

De voornaamste functie van een kunstboek bestaat hierin, zo getrouw mogelijke reprodukties van kunstwerken te geven door middel van een drukprocédé dat de originelen recht doet wedervaren. In dit verband zijn goedkope uitgaven in hoge oplagen even belangrijk als absolute topprestaties van de drukkunst op de beste papieren in betrekkelijk kleine oplagen. De kwaliteit van het papier, het formaat van het boek, de afmetingen van de platen en de kwaliteit van de bandmaterialen moeten overeenstemmen met de bedoelingen van de uitgave. Als voor het platengedeelte en het tekstgedeelte verschillende soorten papier nodig zijn moeten tint en structuur van die papieren met elkaar overeenstemmen of een duidelijk contrast vormen.

De voor kunst- en kijkboeken gebruikte lettersoorten moeten mooi en verfijnd zijn en bij de artistieke inhoud van het boek passen. Tegenstrijdige verlangens, die gericht zijn op zo groot mogelijke afbeeldingen enerzijds en anderzijds een gunstige regelbreedte voor de tekst vragen, moeten op harmonische en interessante wijze met elkaar verzoend worden. De paginering, het voorwerk, de inhoudsopgave, het bibliografische apparaat en het register, moeten het gebruik van het boek vergemakkelijken.

Platenboeken worden naar de artistieke kwaliteit en de expressiviteit van de foto's beoordeeld. De kwaliteit van de druk moet in overeenstemming zijn met de bedoelingen van het boek. Voor fotoboeken van een actueel karakter in grote oplagen kan men soms met houthoudend papier volstaan, maar voor fotoboeken over bijvoorbeeld architectuur of landschap is het beste papier maar net goed genoeg. Kunst- en platenboeken eisen een verregaande geestelijke harmonie of een bewuste zakelijke distantie ten opzichte van de weergegeven kunstwerken alsmede een onberispelijke materiële kwaliteit. De betekenis van een mooie band en een aantrekkelijk stofomslag voor een kunst- of platenboek behoeft nauwelijks vermelding.

Pocketboeken en paperbacks

De bedoeling van deze soorten boeken is, de tekst tegen lage prijs en dus in zeer grote oplagen ter beschikking van de lezer te stellen. Daaruit volgt dat afgezien moet worden van uiterlijk vertoon, kostbare papieren, solide bandmaterialen, brede marges en dergelijke. Pocketboeken en paperbacks (deze laatste onderscheiden zich van de eerste voornamelijk door hun grotere omvang en – soms – door een groter formaat) moeten bruikbaar en prettig leesbaar worden ingericht en bovendien, binnen het kader van hun mogelijkheden, goed gezet en gedrukt zijn. Met het oog op een zo gunstig mogelijk gebruik van de paginabreedte wordt de zetspiegel vaak wat verder uit de rug geplaatst dan gewoonlijk (maar het zijwit mag niet kleiner worden dan 2 augustijn) om te voorkomen dat de druk gedeeltelijk in de ronding van de rug verdwijnt.

Series en modelboeken

De overgang naar de industriële boekproduktie aan de lopende band is ook van invloed op de vorm van het boek, maar het is overdreven om in dit verband 'het einde van de boekkunst' te voorspellen. Inderdaad veroorzaken bepaalde aspecten van de moderne zettechnieken (woordafbrekingen uit het programma en pagina-opmaak met behulp van de computer) duidelijke kwaliteitsverminderingen. Maar deze kinderziekten van de computer zijn niet ongeneeslijk: het apparaat kan beter geprogrammeerd worden. De grondvorm van het boek zal ook in de toekomst blijven zoals hiervóór in grote lijnen geschetst is, omdat die vorm berust op fysiologische en psychologische aspecten van onze ogen en van het lezen. Niettemin zullen er door de techniek veroorzaakte vormveranderingen optreden. Zo zou bij voorbeeld de opmaak zó geprogrammeerd kunnen worden dat de uitgangsregel van een alinea niet bovenaan een bladzijde verschijnt (een zgn. hoerejong). Daartoe moet het aantal regels van een pagina één meer of één minder kunnen bedragen.

De typografie en de vormgeving van het boek hebben zich reeds in het verleden in velerlei opzicht parallel aan de architectuur ontwikkeld. Het geïndustrialiseerde bouwen met grote elementen eist produktie in serie. In plaats van het individuele ontwerp komen woningtypen van verschillende grootte in zwang, schooltypen, typen gemeenschapsgebouwen en kleuterscholen, waaruit de opdrachtgever een keuze kan doen. De kosten van de bouw worden daardoor lager en de duur korter. Soortgelijke voordelen hebben boeken in series, die op basis van identieke of verwante grafische specificaties worden geproduceerd. Bovendien hebben boekenseries voor de lezer nauwelijks bezwaren en bij het opbergen in de kast zelfs voordelen. Identieke specificaties zijn voor de industriële boekproduktie aan de lopende band van doorslaggevende betekenis en in de toekomst zal men wellicht modelboeken ontwikkelen voor de afzonderlijke literatuursoorten, waarin de beste oplossingen voor de vormgeving van boeken bij halfautomatische produktie geprogrammeerd zijn. Het spreekt vanzelf dat op die wijze slechts een gedeelte van de behoefte aan boeken rationeel geproduceerd kan worden; voor de overige blijft de individuele vormgeving noodzakelijk.

Voor elk literatuurgenre zal meer dan één model ontwikkeld moeten worden, waaruit de uitgever en wellicht ook de auteur een keuze kunnen doen. Waar het op aankomt is dat die modellen met kennis van zaken en artistieke bezieling zó ontworpen worden dat ze in combinatie met de moderne technische mogelijkheden optimale resultaten opleveren.

De differentiëring van de literatuurgenres is een ontwikkelingsproces dat nog voortduurt. De aan elkaar grenzende gebieden van het wetenschappelijke, het populair-wetenschappelijke en het studieboek zouden ook anders en fijner gedifferentieerd kunnen worden: in leerboeken, wetenschappelijke monografieën, opzoekboeken, studieboeken, encyclopedieën, woordenboeken, hobbyboeken, reisboeken enz. Op soortgelijke wijze zouden in de belletrie onderscheiden kunnen worden: klassieke letteren, romans, verhalen, gedichtenbundels, toneel, detectives enz. Het gaat er altijd weer om, de boeken van de verschillende genres in een bij de inhoud passende en bruikbare vorm aan de lezer aan te bieden. Bij het zoeken naar de juiste vorm voor nieuw ontstaande literatuurgenres blijft nog een ruim terrein voor het experiment open.

AFBEELDINGEN

De foto's op de volgende bladzijden beelden boekpagina's en boeken af, die de *Stellingen* kunnen staven. Al deze voorbeelden zijn ontleend aan boeken die tot het tijdstip van de tweede druk van dit boekje opgenomen waren in de 'Schönste Bücher der DDR'. In veel gevallen hadden ook andere voorbeelden getoond kunnen worden. Bij de keuze is rekening gehouden zowel met de uiteenlopende soorten boeken als met de verschillende opvattingen over de typografische vormgeving. De afbeeldingen bevestigen dat de toepassing van de in de *Stellingen* neergelegde ervaringsfeiten niet leidt tot eenvormigheid in de boektypografie; ze bewijzen integendeel dat verstandige en weloverwogen boektypografie ook van inventiviteit en fantasie kan getuigen.

Evenals in de *Stellingen* zelf zijn bij de afbeeldingen uitsluitend de elementaire gegevens vermeld. De lezer die zich verder in de materie wil verdiepen wordt verwezen naar de literatuurlijst.

Albert Schweitzer: *Ausgewählte Werke in fünf Bänden*. Berlijn 1971, Union-Verlag.
Typografie en bandontwerp: Horst Erich Wolter.
Letter: Times New Roman. Formaat: 12 x 19 cm.

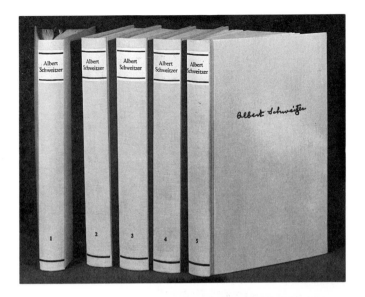

ERSTER APPELL
Verzicht auf Versuchsexplosionen

Im April des vorigen Jahres habe ich, gleichzeitig mit anderen, das Wort ergriffen, um auf die große Gefahr aufmerksam zu machen, welche die radioaktive Verseuchung der Luft und der Erde durch Versuchsexplosionen von Atombomben und Wasserstoffbomben bedeutet. Mit anderen vertrat ich die Forderung, daß die atomwaffenbesitzenden Staaten möglichst bald darüber übereinkommen sollten, mit diesen Versuchen aufzuhören, um damit zugleich zu bekunden, daß sie ernstlich gewillt seien, miteinander auf Atomwaffen zu verzichten.

Damals konnte man sich der Hoffnung hingeben, daß dieser erste Schritt getan würde. Es kam aber nicht dazu. Die im Sommer 1957 in London von Harold Stassen geleiteten Verhandlungen zwischen Amerika, England und der Sowjetunion verliefen ergebnislos. Dasselbe Schicksal war den Besprechungen einer im Herbst des vergangenen Jahres von der UNO veranstalteten Konferenz dadurch beschieden, daß die Sowjetunion aufhörte, sich an ihnen zu beteiligen.

Nunmehr hat die Sowjetunion einen Abrüstungsplan vorgeschlagen, auf Grund dessen man sich anschickt, in neue Verhandlungen einzutreten. Als erstes sieht dieser vor, daß man ohne weiteres und alsbald mit den Versuchsexplosionen aufhören solle.

578

Wie steht es um diese Forderung? Man sollte meinen, daß es für alle Verhandlungspartner leicht sei, ihr zuzustimmen. Keiner würde dadurch eine Einbuße in seinem Besitz an Atomwaffen erleiden. Und der Nachteil, keine neuen Atomwaffen erproben zu können, würde ja für alle der gleiche sein.

Dennoch fällt es Amerika und England schwer, auf den Vorschlag einzugehen. Schon gleich, als im Frühjahr 1957 von ihm die Rede war, haben sie sich gegen ihn ausgesprochen. Seitdem bestreiten sie in einer zähen Propaganda, daß die Gefahr der dadurch produzierten Radioaktivität so groß sei, daß sie zu einem Verzicht auf weitere Versuche nötige. Fortlaufend wird der amerikanischen und europäischen Presse reichliches Material dieser Propaganda durch staatliche Atomkommissionen und Wissenschaftler, die sich bewogen fühlen, sich in demselben Sinn zu äußern, zugestellt.

Aus dem Inhalt einer vom Unterausschuß der amerikanischen Atomenergiekommission ausgehenden Erklärung seien folgende Sätze angeführt: «Es empfiehlt sich, daß die Kernversuche im Rahmen der wissenschaftlichen und militärischen Erfordernisse auf ein Minimum beschränkt werden. – Es sollen die notwendigen Schritte unternommen werden, um die gegenwärtig in der Öffentlichkeit herrschende Konfusion zu korrigieren. – Die gegenwärtigen und potentiellen Auswirkungen der allmählichen Zunahme der Radioaktivität der Luft auf die Erbmasse halten sich innerhalb tolerierbarer Grenzen. – Schon die Möglichkeit einer Schädigung, von welcher der einzelne Bürger glaubt, daß er sie nicht kontrollieren könne, hat eine starke gefühlsmäßige Wirkung. – Die Fortsetzung der Versuche ist im Interesse der nationalen Sicherheit notwendig und berechtigt.»

Unter der «in der Öffentlichkeit herrschenden Konfusion», die korrigiert werden soll, ist zu verstehen, daß die Leute mehr und mehr dazu kommen, sich von der

579

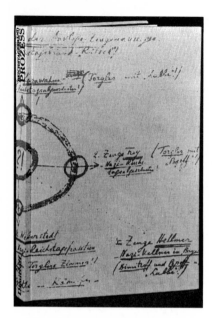

Georgi Dimitroff:
Der Reichstagbrandprozeß.
Berlijn 1972, Dietz Verlag.
Typografie: Wolfgang Janisch.
Bandontwerp: Erhard Grüttner.
Letter: Didot Romein.
Formaat: 14,2 x 20 cm.

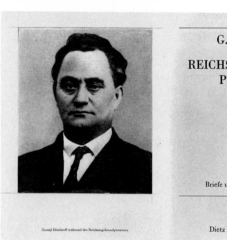

Bij Stelling 59, 60, 64, 96

Jürgen Flachsmeyer: *Kombinatorik*.
Berlijn 1969, VEB Deutscher Verlag
der Wissenschaften.
Typografie: de uitgeverij.
Omslagontwerp: Rudolf Wendt.
Tekstletter: Modern Extended.
Formaat: 14,2 x 20 cm.

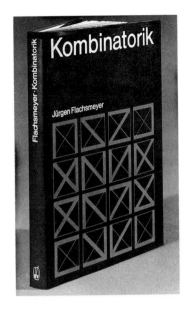

Gottfried Fritzsche:
*Theoretische Grundlagen
der Nachrichtentechnik.*
Berlijn 1972,
VEB Verlag Technik.
Typografie: Karl Hoppe.
Letter: Times New Roman.
Formaat: 16,7 x 23,7 cm.

Bij Stelling 31, 32, 33, 87

chimica- ein Wissensspeicher
Leipzig 1972
VEB Deutscher Verlag
für Grundstoffindustrie.
Typografie: Hellmut Matthieu.
Bandontwerp: Brunhilde Keune.
Letter: Times New Roman.
Formaat: 16 x 23 cm.

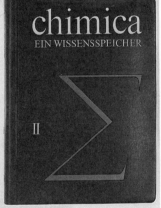

Heinz Mielke: *Zu Horizonten.*
Berlijn 1972, transpress VEB Verlag für Verkehrswesen.
Typografie en omslagontwerp: Günther Nitzsche.
Letter: Helvetica. Formaat: 23,5 x 26,5 cm.

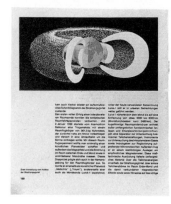

Ulrich Sedlag: *Die Tierwelt der Erde*. Leipzig/Jena/Berlijn 1972, Urania-Verlag.
Typografie: Helmut Selle.
Omslagontwerp: Reiner Zieger & Helmut Selle.
Letter: **Times New Roman**. Formaat: 22 x 22,4 cm.

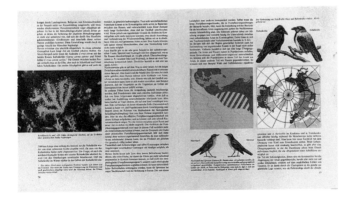

Fotos in der Werbung. Leipzig 1972, VEB Fotokinoverlag.
Typografie en omslagontwerp: Werner Geißler.
Letter: Monotype Grotesque. Formaat 24 x 30 cm.

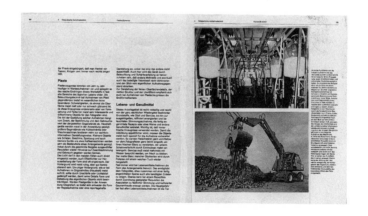

Bij Stelling 21, 50, 52, 54

Albert Kapr: *Schriftkunst*
Dresden 1971,
VEB Verlag der Kunst.
Typografie en omslagontwerp:
Albert Kapr.
Letter: Dante.
Formaat: 20,5 x 29 cm.

Rudolf Sachsenweger & Karl Mütze: *Ophthalmologische Optik und Brillenlehre*.
Leipzig 1972, VEB Georg Thieme.
Typografie: Egon Hunger. Letter: Times New Roman. Formaat: 18,7 x 27 cm.

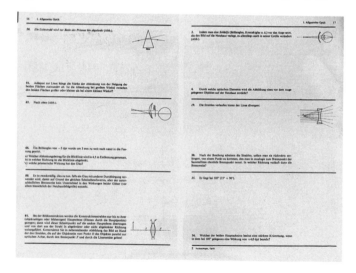

Chemie Lehrbuch für Klasse 7.
Berlijn 1972,
Volk und Wissen Verlag.
Typografie: Günter Runschke.
Letter: Monotype Grotesque.
Formaat: 16,5 x 23 cm.

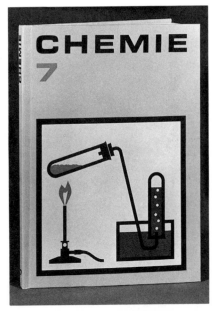

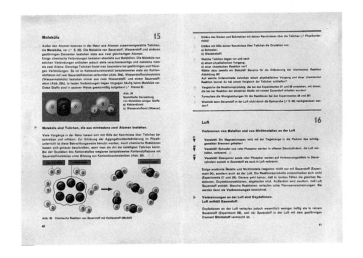

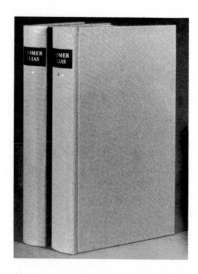

Homerus: *Ilias*.
Berlijn & Weimar 1972,
Aufbau-Verlag.
Illustraties: Werner Klemke.
Typografie:
Werner Klemke & Willi Fritsche.
Letter: Baskerville.
Formaat: 12,5 x 21,5 cm.

Zweikampf zwischen Tlepolemos und Sarpedon

Schultern mehr wegnehmen, denn die Geschosse
drückten ihn nieder. Auch fürchtete er, daß die stol-
zen Troer die Leiche beharrlich verteidigten. Sie
standen schon gegen ihn, zahlreich und tapfer, mit
vorgestreckten Lanzen und stießen ihn, obwohl er
groß und stark und berühmt war, von sich, und beim
Rückzug kam er ins Wanken.

So mühten sich diese Männer in der gewaltigen
Schlacht. Da trieb die mächtige Schicksalsgöttin den
Tlepolemos, den tapferen, großen Sohn des Herakles,
gegen den gottgleichen Sarpedon. Als sie nunmehr
einander begegneten, der Sohn und der Enkel des
wolkenversammelnden Zeus, da sprach Tlepolemos
als erster zum andern das Wort: „Sarpedon! Ratgeber
der Lykier! Warum mußt du, als unerfahrener Kämp-
fer, unbedingt hier in Troja deine Feigheit beweisen?
Nur Lügner können behaupten, du seist ein Sohn
des aigischwingenden Zeus, denn hinter jenen Män-
nern, die bei den Menschen der Vorzeit von Zeus
abstammten, bleibst du weit zurück. Doch welch ein
Mann war dagegen der starke Herakles nach den
Berichten, er, mein Vater, der den kühnen, stand-
haften Mut eines Löwen besaß! Er kam einst hierher,
um Laomedons Rosse zu holen, nur mit sechs Schif-
fen und einem kleineren Heer, zerstörte die Stadt
Ilios und entleerte ihre Straßen von Menschen. Aber
dein Herz ist feige, und dein Heer geht dabei zugrunde.
Ich glaube, du kannst die Troer dadurch, daß du aus
Lykien kamst, auf keinen Fall retten, auch nicht,
wenn du sehr stark bist, nein, von mir bezwungen,
wirst du die Tore des Hades durchschreiten!"
Ihm erwiderte Sarpedon, der Führer der Lykier:
„Tlepolemos! In der Tat hat jener die heilige Ilios

153

Voltaire: *Candide oder Der Optimismus.*
Leipzig 1972,
Verlag Philipp Reclam jun.
Illustraties: Gabriele Mucchi.
Typografie en omslagontwerp:
Günter Billig.
Letter: Baskerville.
Formaat 16,7 x 24 cm.

Max Frisch
Stücke

Nun singen sie wieder
Don Juan
oder Die Liebe zur Geometrie
Biedermann
und die Brandstifter
Andorra

*Verlag
Volk und Welt* ⋙
Berlin 1965

Max Frisch: Stücke.
Berlijn 1965, Verlag Volk und Welt.
Typografie: Klaus Krüger.
Letter: Garamond.
Formaat: 12,5 x 21,5 cm.

Egon Günther: *Kampfregel.*
Berlijn 1970, Eulenspiegel Verlag.
Illustraties: Klaus Ensikat.
Typografie: Gerhard Milewski.
Letter: Didot Romein.
Formaat: 14,2 x 20 cm.

Kazys Boruta: *Die Mühle des Baltaragis.*
Berlijn 1970, Rütten & Löning.
Houtsneden: Sigrid Huß.
Typografie: Heinz Hellmis.
Letter: Trump-Mediäval.
Formaat: 12 x 20 cm.

„Erkennst du mich nicht!" fragte Anupras.
„Wer bist du?" Girdvainis machte kehrt und musterte ihn gereizt.
„Das ist doch nicht zu fassen!" brummte Anupras
168 mehr mitleidig als erstaunt. „Wen man in Wahrheit nicht wiedererkennen kann, das bist du, mein Junge, ich dagegen bin geblieben, wie ich war. Kannst du dich wirklich nicht mehr an Anupras erinnern!"
„O doch!" Girdvainis versank in traurige Gedanken. Nach einer Weile fragte er: „Anupras, was war nur der Grund dafür, daß wir zu dieser verfluchten Jungfer hingefahren sind?"
„Den Grund willst du wissen! Damals sagtest du, du brauchtest unbedingt eine Braut, und wenn du mit deinen Rössern bis ans Ende der Welt fahren müßtest. Und eine Braut haben wir auch gefunden – allen Hindernissen zum Trotz!"
„Was nützt mir die Braut, wenn ich die Apfelschimmel dadurch verlor!" Girdvainis starrte an Anupras vorbei.
„Das ist dir offenbar vom Schicksal bestimmt", widersprach Anupras. „Und du solltest dich nicht dagegen auflehnen – entweder die Pferde oder die Jungfer. Bedaure es nicht, daß du ihretwegen deine Pferde verlorst. Auf der ganzen Welt findest du keine, die ihr gleicht!"
„Solche Renner auch nicht!" beharrte Girdvainis.
„Was wahr ist, muß wahr bleiben", pflichtete ihm Anupras bei. „Aber man kann doch Mensch und Tier nicht gleichsetzen. Wegen zwei Gäulen nimmt man sich nicht das Leben."
„Dennoch ist mir jetzt die ganze Welt vergällt."
„Wie kannst du solche Worte nur über die Lippen bringen!" schalt Anupras. „Ich bin ein alter Mann, aber alles, was meine Augen sehen, selbst dieser Meilenstein hier, erfreut mir das Herz. Laß uns niedersitzen und miteinander reden, vielleicht kommen wir zu einem Entschluß."

Wladimir Majakowski:
Wladimir Iljitsch Lenin.
Berlijn 1970, Verlag Volk und Welt.
Typografie en bandontwerp:
Albert Kapr.
Letter: Gill Sans en
smal-vette schreefloze.
Formaat: 17,5 x 26 cm.

Christian Reuter:
Schelmuffskys Wahrhafftige Curiöse
und sehr gefährliche Reisebeschreibung.
Leipzig 1972,
Dieterich'sche Verlagsbuchhandlung.
Typografie en bandontwerp:
Horst Erich Wolter.
Letter: Luthersche Fraktur en
Bembo Romein.
Formaat: 10 x 19 cm.

Schelmuffskys
Warhafftige
Curiöse und sehr gefährliche
Reisebeschreibung
Zu
Wasser und Lande
I. Theil/
Und zwar
die allervollkomenste und accurateste
EDITION,
in Hochteutscher Frau Mutter Sprache
eigenhändig und sehr artig an den
Tag gegeben
von
E. S.
Gedruckt zu Schelmerode/
Im Jahr 1696.

DIETERICH'SCHE
VERLAGSBUCHHANDLUNG
LEIPZIG

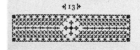

‡ 13 ‡

An den
Curiösen Leser:

ICh bin der Tebel hohlmer ein rechter Bä-
renhäuter / daß ich meine warhafftige /
curiöse und sehr gefährliche Reise-Beschreibung zu Wasser und Lande / welche ich schon
eine geraume Zeit verfertiget gehabt / so lange
unter der Banck stecken lassen / und nicht läng-
stens mit hervor gewischt bin; Warum? Es hat
der Tebel hohlmer mancher kaum eine Stadt
oder Land nennen hören /· so setzt er sich stracks
hin / und macht eine Reise-Beschreibung
zehen Ellen lang davon her / wenn man denn
nun solch Zeug lieset / (zumahl wer nun brav
gereiset ist / als wie ich) so kan einer denn
gleich sehen / daß er niemahls vor die Stuben-
Thüre gekommen ist / geschweige / daß er
fremden und garstigen Wind sich solte haben
lassen unter die Nase gehen / als wie ich ge-
than habe. Ich kan es wohl gestehen / ob ich

Heinz Kreißig: *Der steinerne Mann.*
Berlijn 1972,
Der Kinderbuchverlag.
Illustraties en omslagontwerp:
Horst Bartsch.
Typografie: Armin Wohlgemuth.
Letter: Baskerville.
Formaat: 20,3 x 29,5 cm.

Edition Neue Texte (serie). Berlijn en Weimar, Aufbau-Verlag.
Band- en omslagontwerp: Heinz Hellmis.
Letter: Garamond.
Formaat: 12 x 19 cm.

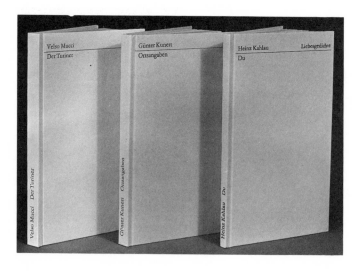

Bij Stelling 86, 87, 88, 100

Sophie Lissitzky-Küppers: *El Lissitzky*. Dresden 1967, VEB Verlag der Kunst.
Typografie en bandontwerp: Horst Schuster. letter op de titelpagina: Gill Sans.
Formaat: 20,5 x 27 cm.

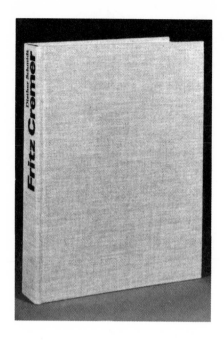

Diether Schmidt:
Fritz Cremer –
Leben, Werke, Schriften.
Dresden 1972,
VEB Verlag der Kunst.
Typografie en omslagontwerp:
Horst Schuster.
Letter: Baskerville.
Formaat: 20,5 x 27 cm.

Vietnam in dieser Stunde. Halle 1971. Mitteldeutscher Verlag.
Typografie en omslagontwerp: Walter Schiller. Letter: Univers.
Formaat: 24 x 27 cm.

VERKLARING VAN ENKELE VAKTERMEN

Augustijn; cicero	Veelvoud van 12 (Didot)punten; 4,5111108 mm
Auteursrecht- of copyrightvermelding	Vermelding van degene (auteur of uitgever) die gerechtigd is het werk te verveelvoudigen en openbaar te maken. De vermelding is bedoeld als bescherming tegen onrechtmatige nadruk, vertaling enz.
Boekblok	De gevouwen, vergaarde, genaaide en schoongesneden vellen van een boek, maar nog zonder band of omslag.
Borden	De (meestal harde) gedeelten van een boekband.
Buitenwit	Zie: Zijwit
Corps; lettercorps	Lettergrootte. Nauwkeuriger: de grootte van een drukletter, gemeten van het hoogste punt van de stokletters tot het laagste punt van de staartletters, maar oorspronkelijk de grootte van het loden staafje (de kegel) waarop de letter gegoten is.
Divisie	Kort streepje waarmee een woordafbreking wordt ingeleid of waarmee de delen van een koppelwoord aan elkaar verbonden zijn.

Font	Zie: Letterfont.
Franse titel	De rechterpagina vóór de eigenlijke titelpagina, waarop gewoonlijk alleen de (verkorte) titel van het boek gedrukt is.
Hoerejong	Uitgangsregel van een alinea als eerste regel van een pagina; behoort vermeden te worden.
Interlinie	Het (extra) wit tussen de regels. Zie ook: Regeltransport.
Kap(i)taalbandje	Het (gevlochten) bandje, veelal gekleurd, dat ter versiering is aangebracht aan de boven- en onderkant van het boekblok aan de rugzijde bij een gebonden boek.
Kapitaalhoogte	Methode bij sommige fotografische zetsystemen ter benoeming van de lettergrootte, die berust op de hoogte in millimeters (tot in honderdsten) van de kapitaal H.
Kapitalen	Hoofdletters.
Kastlijntje	Horizontaal lijntje ter lengte van een vierkant (soms twee derde daarvan of ook wel ter lengte van een pasje) dat dient als gedachtenstreepje.
Kegel	Het loden letterstaafje. Zie: Corps.
Klein-kapitalen	Letters die de vorm van kapitalen hebben, maar in grootte overeenkomen met de x-hoogte, en die bovendien iets zwaarder van lijn getekend zijn. Bij ontbreken daarvan in het font vormen verkleinde kapitalen geen goede vervanging.

Kneep	De heet ingeperste vore bij een gebonden boek tussen de rug en de borden, waarop de borden als het ware scharnieren.
Kopwit	De marge aan de bovenkant van de pagina.
Leeslint	Smal zijden lintje, ongeveer een kwart langer dan de hoogte van het boek, dat van boven in de rug vastzit en als bladwijzer kan dienen. Wordt vooral toegepast (thans zelden) bij bijzonder goed verzorgde Duitse boeken; ook (soms meer dan één) in kerkboeken, missalen, reisgidsen en auto-atlassen.
Lettercorps	Zie: Corps.
Letterfont	De totale verzameling letters en symbolen van één bepaalde soort.
Letterlijn	De denkbeeldige lijn waarop de letters van een regel staan.
Margeprogressie	De onderlinge waarden van de marges, uitgedrukt in verhoudingscijfers, in de volgorde: rugwit-kopwit-zijwit-staartwit.
Marges	De witte randen om de gedrukte pagina.
Marginalia	Ook: randnoten of zijnoten. Opmerkingen of noten in het zijwit.
Onderkast	Vakterm voor 'kleine letters', in tegenstelling tot kapitalen ('hoofdletters').
Onuitgevuld	Gezet met overal gelijke woordspaties, zodat de regels ongelijk van lengte zijn.

Opmaak	De verdeling van de gezette tekst in bladzijden van de juiste lengte
Pasje	Wit ter grootte van de helft van het vierkant.
Pica	Veelvoud van 12 Engels-Amerikaanse punten of 4,2168672 mm. Een pica is *niet* gelijk aan één zesde inch.
Platten	Buitenkanten van het omslag of van de borden van de band.
Punt	Typografische maateenheid, waarbij men onderscheid moet maken tussen de Europese Didotpunt (0,3579259 mm) en de Engels-Amerikaanse pica-punt (0,3514056 mm), welke laatste bij veel Engelse en Amerikaanse zetapparatuur wordt toegepast.
Randnoten	Zie: Marginalia.
Regeltransport	De afstand van letterlijn tot letterlijn, die dus gelijk is aan het gekozen corps plus de eventuele interlinie.
Rugwit	De marge aan de rugzijde van de pagina.
Schoondruk	De druk die op de voorkant van het papier staat en waarin de laagst genummerde pagina voorkomt. Zie ook: Weerdruk.
Schutbladen	Het papier dat voor de helft tegen de binnenkant van de borden is geplakt en waarvan de andere helft een afzonderlijk blad vormt, dat het boekblok afdekt.

Spatie	Van ouds een stukje (loden) wit ter breedte van één derde van het vierkant. Tegenwoordig elk wit in een regel.
Spatiëren	Het vergroten van de onderlinge afstand tussen de letters, oorspronkelijk door er spaties van 1 of 1,5 punt tussen te plaatsen. De toepassing van spatiëren ter vervanging van een ontbrekende cursief is slechte typografie.
Sprekende hoofdregel	Regel bovenaan een bladzijde, die de titel van het boek of hoofdstuk herhaalt of de inhoud van de pagina in kwestie kort samenvat.
Staartwit	De marge onderaan de gedrukte bladzijde.
Uitvullen	Het langer of korter maken van een gezette regel door de woordtussenruimten groter of kleiner te maken, zodat regels van gelijke lengte ontstaan.
Vergaren	Het in de juiste volgorde rangschikken van de gevouwen vellen van een boek.
Vierkant	Witte ruimte ter breedte van het lettercorps; ook: de waarde in horizontale richting van het lettercorps.
Voetcijfer	Paginacijfer aan de voet van de pagina.
Voetnoot	Opmerking of aanvulling onderaan de pagina.
Voetwit	Zie: Staartwit.
Weerdruk	De druk die op de achterkant van het papier staat; zie ook: Schoondruk.

x-hoogte	De hoogte van de onderkast x. Zie ook: Kapitaalhoogte.
Zetspiegel	De in principe bedrukte rechthoek op een pagina.
Zijnoot	Zie: Marginalia.
Zijwit	De marge aan de buitenkant van de pagina.

LITERATUUR

Deze literatuurijst vermeldt publikaties die dieper op de besproken materie ingaan of geacht kunnen worden van principiële betekenis te zijn. De opgave wijkt af van die in de Duitse uitgaven van dit werkje, die beide gelijk zijn. De onderstaande lijst is samengesteld in nauw overleg tussen auteur en vertaler; bepaalde moeilijk vindbare of niet algemeen toegankelijke werken zijn niettemin welbewust vermeld.

BENNETT, PAUL A. (ed.)/: *Books and Printing. A Treasury for Typophiles.* Cleveland & New York, 1951.

BIGGS, JOHN R.: *The Use of Type.* Londen 1954.

COBDEN-SANDERSON, T.J.: *The Ideal Book or Book Beautiful.* Hammersmith 1900.

De [vijftig] bestverzorgde boeken. Amsterdam 1949-70 en sinds 1987.

Die schönsten Bücher der Deutschen Demokratischen Republik. Leipzig 1954-90.

Die schönsten deutschen Bücher. Frankfurt/M 1951-69. Voortgezet als *Die fünfzig Bücher* [jaar] *Bundesrepublik Deutschland.* Frankfurt/M sinds 1970.

EIKEREN, JOHAN H. VAN: *Over boekverzorging.* Amsterdam 1984².

GILL, ERIC: *An Essay on Typography* (1931). Londen 1989. Ook in het Nederlands: *Een verhandeling over typografie.* Amsterdam 1986.

HOCHULI, JOST: *Das Detail in der Typografie.* Wilmington, Mass. 1987. Ook in het Nederlands: *Het detail in de typografie* en in verscheidene andere talen.

HOCHULI, JOST: *Bücher machen.* Wilmington, Mass. 1989. Ook in het Nederlands: *Boeken maken* en in verscheidene andere talen.

JENNETT, SEÁN: *The Making of Books.* Londen 1956.

KAPR, ALBERT & WALTER SCHILLER: *Gestalt und Funktion der Typografie*. Leipzig 1980².

KAPR, ALBERT: *Buchgestaltung*. Dresden 1965.

KNER, IMRE: *Die Elemente des typographischen Stils*. Gyoma 1934.

KRIMPEN, HUIB VAN: *Boek. Over het maken van boeken*. Veenendaal 1986².

LEE, MARSHALL: *Bookmaking. The illustrated guide tot design / production / editing*. New York 1979².

LEWIS, JOHN: *A Handbook of Type and Illustration*. Londen 1956.

MORISON, STANLEY: *First Principles of Typography*. (Voor het eerst gepubliceerd in *The Fleuron. A Journal of Typography*, VII. Cambridge 1930, en vervolgens meermalen in boekvorm.) Ook in het Nederlands: *Grondbeginselen der typografie*. Amsterdam 1990³.

MENHART, OLDŘICH: *Abendgespräche des Bücherfreundes Rubricus und des Buchdrucker Tympanus*. Frankfurt/M 1958.

POESCHEL, CARL ERNST: *Zeitgemässe Buchdruckkunst (Leipzig 1904)*. Facsimile-uitgave met een nawoord van Hans Peter Willberg. Stuttgart 1989.

OVINK. G. W. (red.): *Anderhalve eeuw boektypografie 1815-1965 in Amerika, Engeland, Frankrijk, Duitsland, Zwitserland, Italië, België en Nederland*. Nijmegen 1965.

RENNER, PAUL: *Die Kunst der Typographie*. Berlijn 1939.

RODENBERG, JULIUS: *Größe und Grenzen der Typographie*. Stuttgart 1959.

RUDER, EMIL: *Typografie. Ein Gestaltungslehrbuch*. Teufen 1967.

RYDER, JOHN: *The Case for Legibility*. Londen 1979.

SICHOWSKY, RICHARD VON, & HERMANN TIEMANN(red.): *Typographie und Bibliophilie; Aufsätze und Vorträge über die Kunst des buchdrucks aus zwei Jahrhunderten*. Hamburg 1971.

SPENCER, HERBERT: *Pioneers of Modern Typography*. Londen 1969.

SZÁNTÓ, TIBOR: *Könyvnyomtatás tipográfia*. Budapest 1964.

TSCHICHOLD, JAN: *Opstellen over typografie*. (Nederlandse uitgave van een selectie uit *Ausgewählte Aufsätze über Fragen der Gestalt des Buches und der Typographie*. Basel 1975.) Maastricht 1988.

TSCHICHOLD, JAN: *De proporties van het boek*. Amsterdam 1991².

WARDE, BEATRICE: *The Crystal Goblet. Sixteen Essays on Typography*. Londen 1955.

84

WILLBERG, HANS PETER: *Bücher, Träger des Wissens.* Raubling (Oberbayern) z.j.

WILLBERG, HANS PETER: *Buchkunst im Wandel. Die Entwicklung der Buchgestaltung in der Bundesrepublik Deutschland.* Frankfurt/M 1984.

WILLIAMSON, HUGH: Methods of Book Design. New Haven & Londen 1983[3].

In 101 sobere stellingen (en een nabeschouwing) formuleert de auteur de eisen, waaraan naar zijn opvatting een welgemaakt boek behoort te voldoen. Zijn boekje is daarmee een commentaar uit de praktijk op de theoretisch georiënteerde 'grondbeginselen' van Stanley Morison.

Albert Kapr (Stuttgart 1918) is sedert ruim veertig jaar een van de leidende figuren in de typografie van Oost-Duitsland, werkend in de 'boekenstad' Leipzig. Zoals veel Duitse typografen vervulde hij een *Setzerlehre*, een ambachtelijke opleiding tot handzetter; tegelijkertijd studeerde hij in zijn geboortestad bij de legendarische F.H. Ernst Schneidler.

Leertijd en studie raakten in 1935 onderbroken toen hij wegens 'illegale politieke activiteiten' (verzet tegen het Nazi-regime) in gevangenis en concentratiekamp belandde en vervolgens bij de *Wehrmacht* werd ingelijfd. Na voltooiing van zijn studie aanvaardde hij in 1948 een docentschap aan de Hochschule in Weimar (in de zojuist gestichte DDR). Van 1951 tot 1984 was hij professor aan de Hochschule für Grafik und Buchkunst in Leipzig, waarvan hij sinds 1976 ook rector was.

Kapr is een toegewijd handhaver, maar ook vernieuwer van de 'Leipziger traditie' in de typografie. Naast zijn onderwijstaak verzorgde hij talrijke boeken en ontwierp enkele letters. Hij publiceerde een indrukwekkende reeks boeken en artikelen, zowel over 'de praktijk van het vak' als over historische onderwerpen, in het bijzonder Johann Gutenberg.

Albert Kapr is internationaal georiënteerd: onder de persoonlijkheden die van betekenis zijn geweest voor zijn opvattingen noemt hij, behalve zijn leermeester Schneidler, ook F.H. Ehmcke, Stanley Morison, Jan Tschichold en Giovanni Mardersteig. Naar Kapr's overtuiging moeten boeken in de eerste plaats goed leesbaar en goed bruikbaar zijn; de technische kwaliteit moet zo hoog mogelijk zijn en de esthetiek mag niet worden verwaarloosd.

Kapr heeft in de (voormalige) DDR groot gezag; daarbuiten zijn zijn talrijke geschriften zo goed als onbekend. Van de *101 stellingen* bestaan vertalingen in het Spaans, Hongaars en Chinees.

COLOFON

101 STELLINGEN OVER DE VORM VAN HET BOEK
door Albert Kapr is uit het Duits vertaald door Huib van Krimpen naar *101 Sätze zur Buchgestaltung*. Het is naar aanwijzingen
van de vertaler in overleg met de auteur gezet uit CRTronic
Bembo door Chang Chi Lan-Ying, Amsterdam. De foto's zijn
het werk van Christa Christen en Herbert Strobel, Leipzig. De
litho's zijn vervaardigd door A.B.Graphic, Amsterdam.
Het boek is gedrukt in een oplaag van 1000 exemplaren op Mel-
lotex van Proost en Brandt (mat voor de tekst, glad voor de
afbeeldingen) door Jan de Jong, Amsterdam en gebonden door
Boekbinderij J.A. van Waarden, Amsterdam.

UITGEVERIJ DE BUITENKANT
AMSTERDAM 1991

ISBN 90 70386 37 2